Cleo & Cuquín
Familia Telerín

Mis primeros números

Diviértete y aprende con Cleo y Cuquín

Cleo & Cuquín
Mis primeros números

Primera edición: noviembre, 2018

Imágenes derivadas de la serie "Cleo & Cuquín" basada en la idea original de "La Familia Telerín".

Cleo & Cuquín® & © 2015-2018 Mai Productions, S.L. -Ánima Kitchent Media, S.L. -Televisa S.A. de C.V. -Selecta Visión, S.L.U. All Rights Reserved.

ISBN: 978-607-317-267-7
Impreso en México – *Printed in Mexico*

Esta obra se terminó de imprimir en los talleres de Impresora Tauro, S.A. de C.V.
Av. Año de Juárez 343, col. Granjas San Antonio, c.p. 09070, Ciudad de México

El papel utilizado para la impresión de este libro ha sido fabricado a partir de madera procedente de bosques y plantaciones gestionadas con los más altos estándares ambientales, garantizando una explotación de los recursos sostenible con el medio ambiente y beneficiosa para las personas.

Penguin
Random House
Grupo Editorial

Aprendamos los números con Cleo y Cuquín

012
3456
789

NÚMEROS NATURALES DEL 0 AL 9

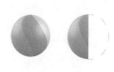

CONCEPTOS: entero/mitad

FORMAS: cuadrado, óvalo, triángulo y círculo

1° 2° 3°
4° 5° 6°
7° 8° 9°

NÚMEROS ORDINALES DEL 1 AL 9

SERIES

AGRUPAMIENTOS

INICIACIÓN A LA SUMA Y RESTA

02468
13579

CONCEPTOS: pares/impares

CONCEPTOS: izquierda/derecha

CONCEPTOS: en medio

CONCEPTOS: grueso/fino

CONCEPTOS: grande/pequeño

Colorea el número de los años que tienes. Remarca y escribe la serie numérica.

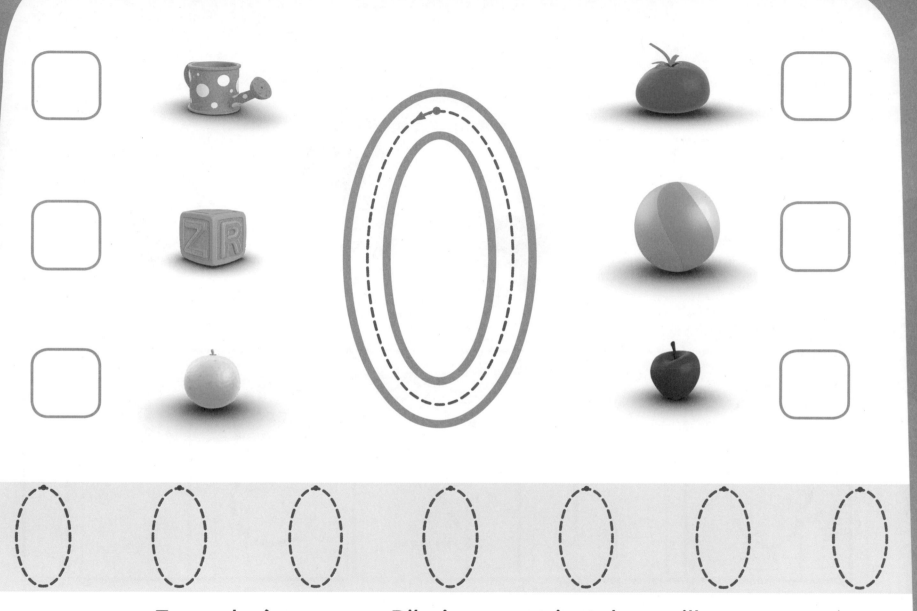

Traza el número cero. Dibuja una equis en las casillas
de los objetos que no se pueden comer. Remarca los números 0.

A Maripí le encantan las margaritas.
Remarca los números y escribe cuántas margaritas tiene Maripí.

Los hermanos Telerín son muy unidos. ¡Les encanta jugar juntos!
Remarca los números y escribe cuántos hermanos son.

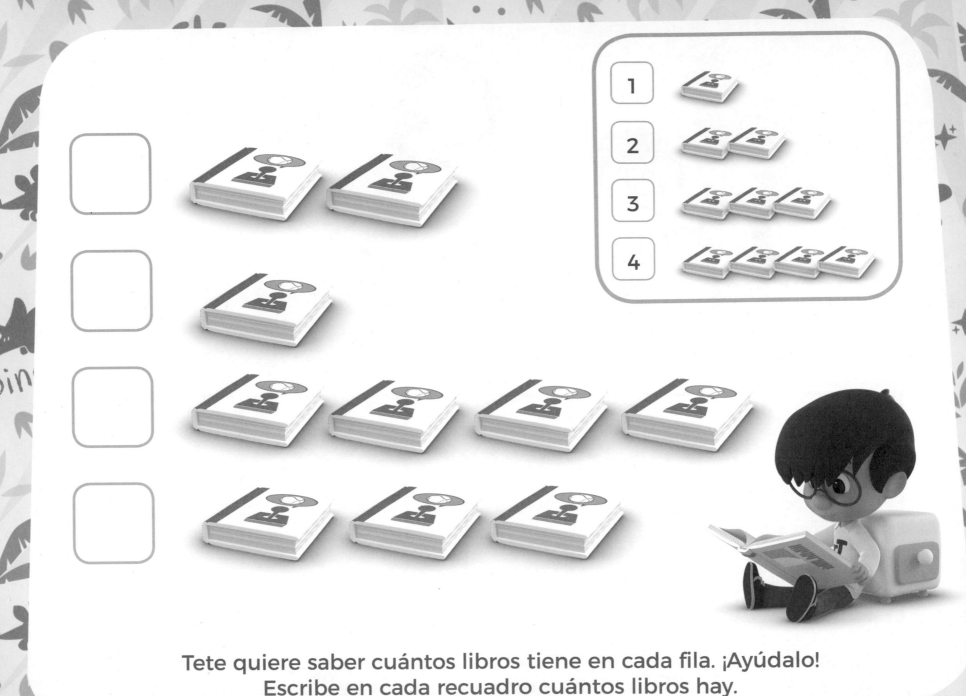

Tete quiere saber cuántos libros tiene en cada fila. ¡Ayúdalo!
Escribe en cada recuadro cuántos libros hay.

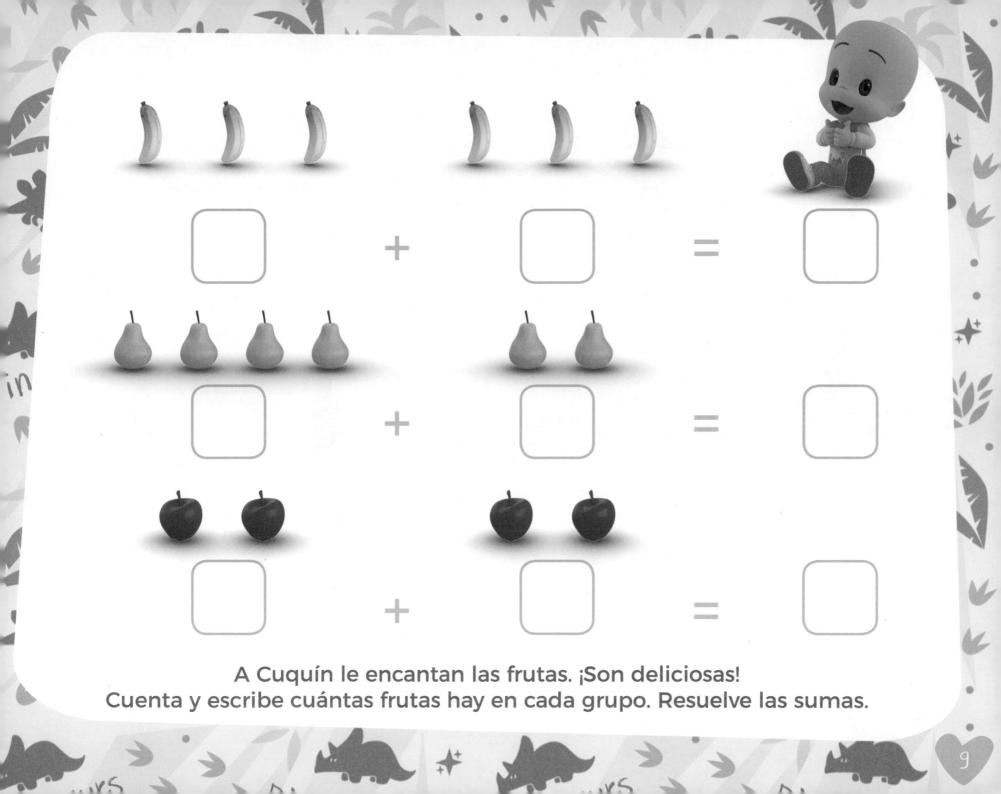

A Cuquín le encantan las frutas. ¡Son deliciosas!
Cuenta y escribe cuántas frutas hay en cada grupo. Resuelve las sumas.

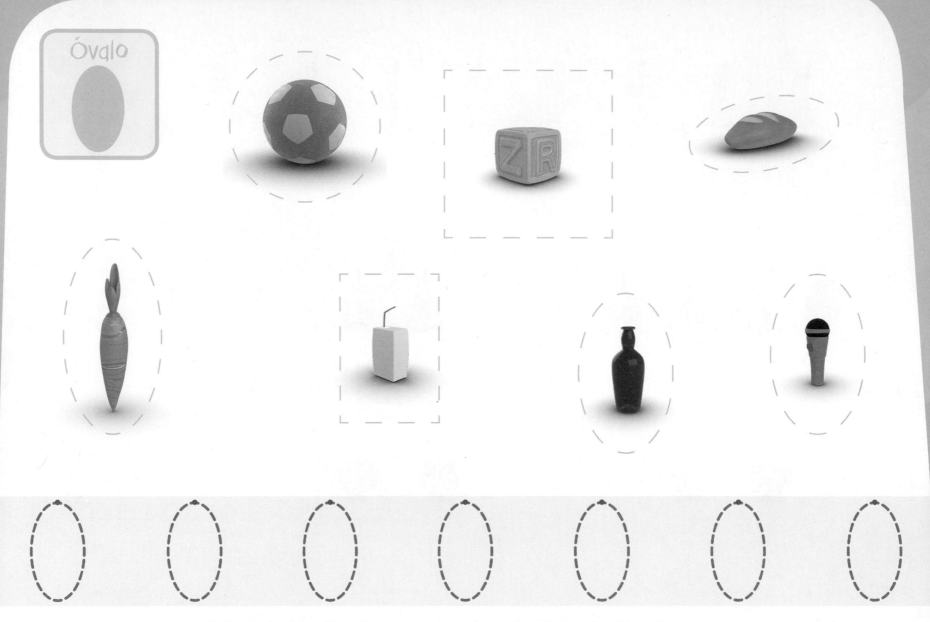

Óvalo

Repasa los óvalos y traza los óvalos de las figuras.

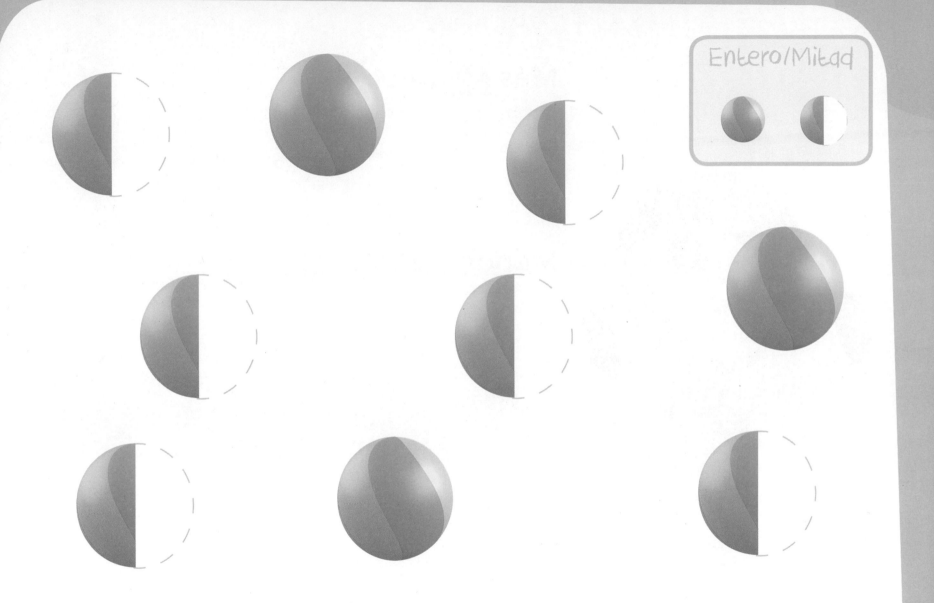

Colorea las mitades que faltan para crear pelotas de colores divertidos.

Más ■ que ●

Menos ■ que ●

Tantos ■ como ●

Colitas está muy confundida. No sabe cómo completar estas series. ¿La ayudas?
Repasa las formas y dibuja las que sean necesarias.

| 1° | 2° | 3° | 4° | 5° | 6° |

| 1ª | | | | | |

Escribe en qué orden siguen los personajes a Cleo.

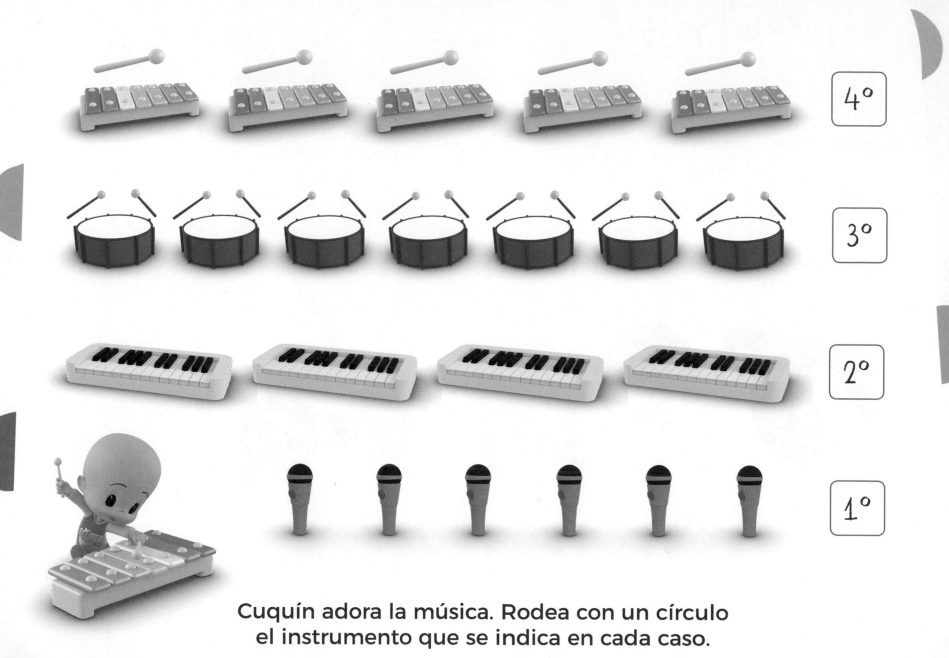

4°

3°

2°

1°

Cuquín adora la música. Rodea con un círculo el instrumento que se indica en cada caso.

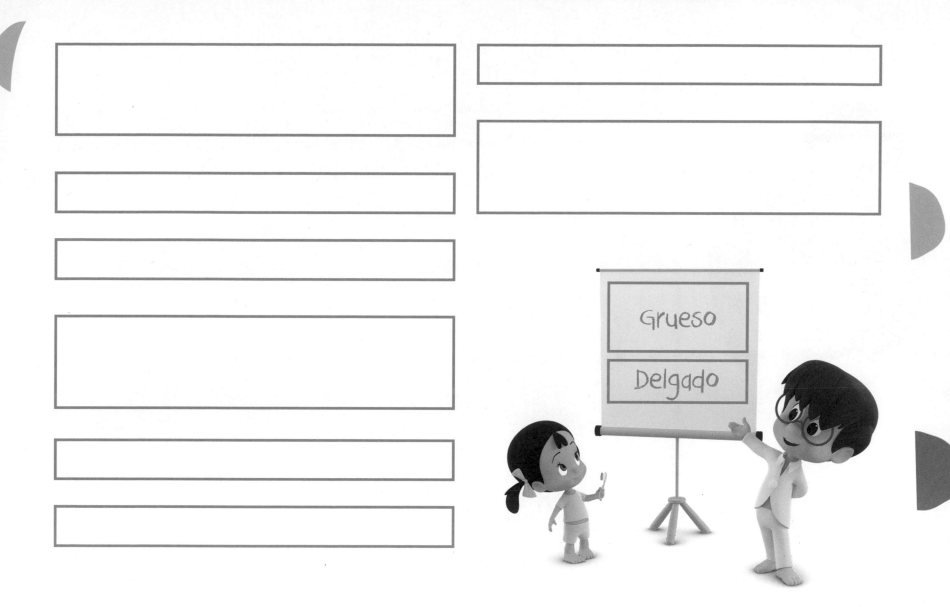

Tete le está enseñando a Colitas la diferencia entre grueso y delgado.
Colorea las líneas gruesas de un color y las delgadas de otro.

Tacha las flores necesarias para que en cada círculo haya tres flores.
Repasa los números y escribe los que faltan.

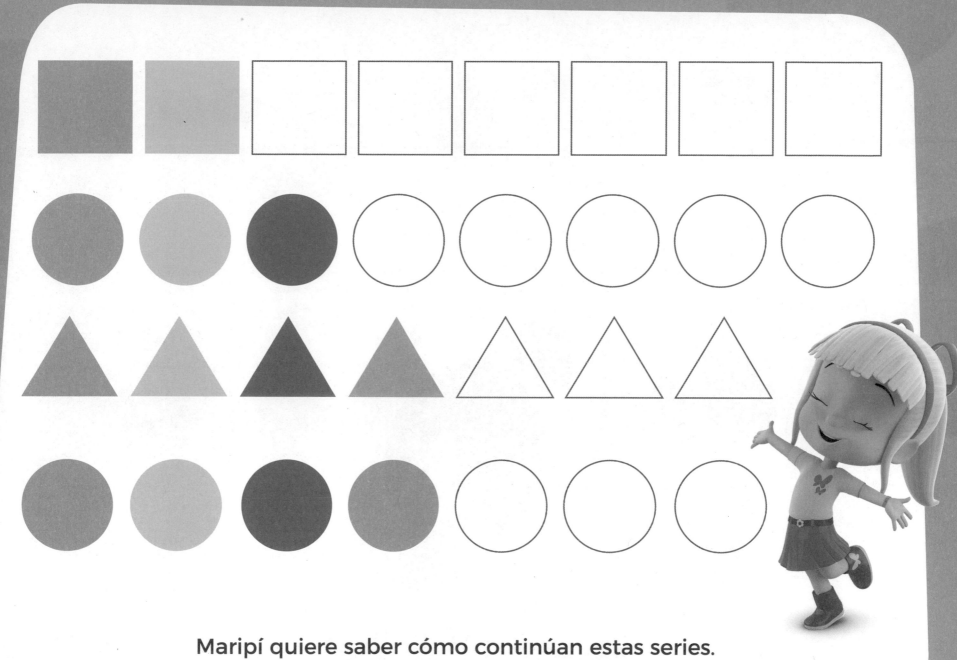

Maripí quiere saber cómo continúan estas series.
Colorea los elementos con los colores correspondientes.

17

¿Cuánto sabes de los personajes? Une a cada niño con su objeto favorito.

Colitas quiere llegar hasta Cuquín, pero debe agarrar unos objetos en su camino. Une con una línea los objetos según el orden indicado arriba.

Tete quiere saber cuántos caramelos tiene. ¿Lo ayudas?

A Pelusín le encanta jugar con los bloques. Colorea cada fila de bloques según el modelo y escribe el valor que representa.

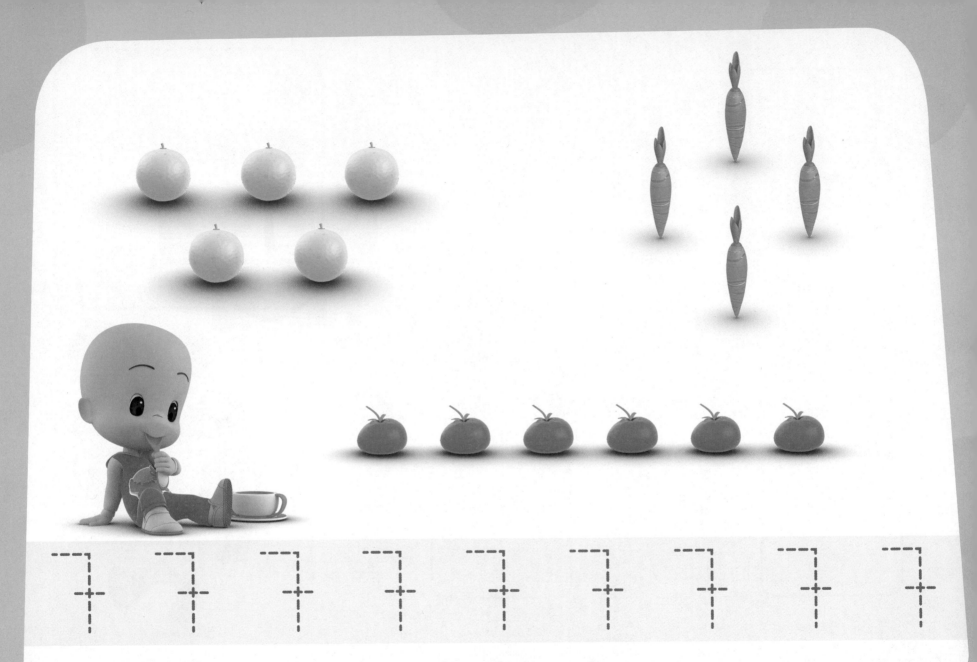

Repasa los números siete.
Dibuja los elementos necesarios para que en cada grupo haya siete.

A Cleo le encanta el número ocho.
Repasa los números y rodea el grupo de ocho elementos.

Colitas quiere resolver este rompecabezas. ¡Ayúdala!
Une cada pieza con su número para completar la imagen.

3

¿Cuánto mide?

Colorea las regletas y escribe cuántos cuadros ocupa cada objeto.
¿Cuántos cuadros miden Cleo y Cuquín?

A Pelusín le gusta pintar flores. Completa éstas
para que todas tengan el mismo número de pétalos.

Triángulo

Un triángulo tiene tres lados. Repasa los triángulos punteados.
Cleo quiere saber cuántos triángulos hay en el castillo. ¿La ayudas?

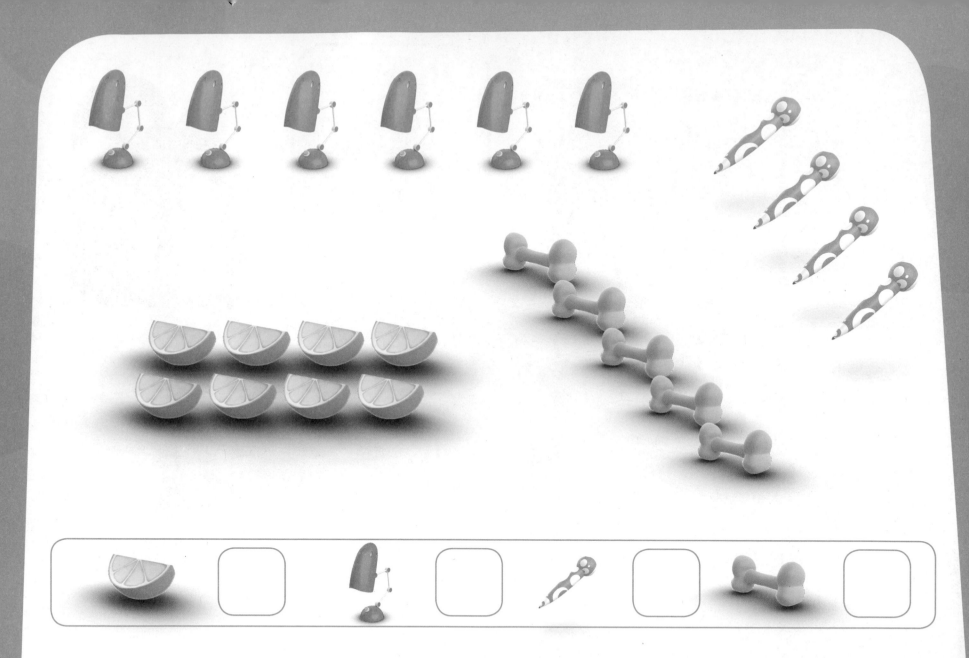

Agrupa los elementos iguales. ¿Cuántos hay de cada uno?

Rodea con un círculo al personaje que se encuentra en medio de cada grupo.

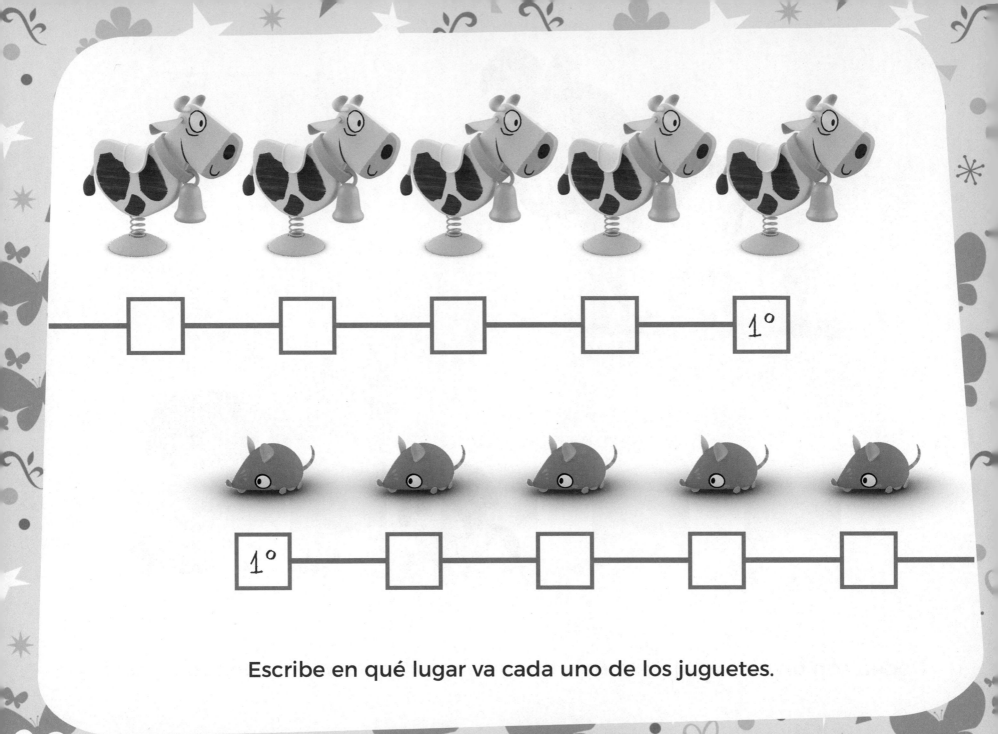

1°

1°

Escribe en qué lugar va cada uno de los juguetes.

Cleo y Cuquín van a jugar a la playa, pero necesitan sus juguetes.
Une cada personaje con sus objetos según su tamaño.

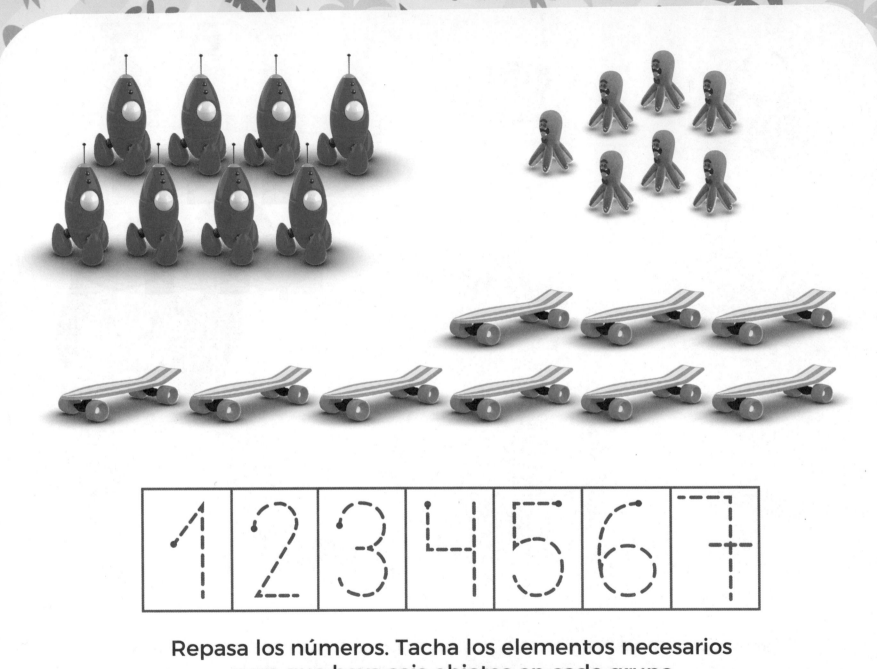

Repasa los números. Tacha los elementos necesarios para que haya seis objetos en cada grupo.

Completa las series dibujando la fruta que corresponda.

1°

Ordena los objetos de menor a mayor tamaño.

8	1	1	5	7	9
4	2	0	3	5	1
0	3	8	6	0	7
1	2	5	3	4	2

Pares: 02468
Impares: 13579

·	2	·	4

5	7	·

Cuquín quiere cambiar de pelota. Guíalo hasta la pelota azul por los números pares. Repasa los números y completa las series.

Maripí y Colitas disfrutan dibujando juntas. Quieren llenar esta página con formas de diferentes colores. Dibuja las formas con los colores del ejemplo.

Haz grupos de libros con la cantidad que se indica en cada caso.

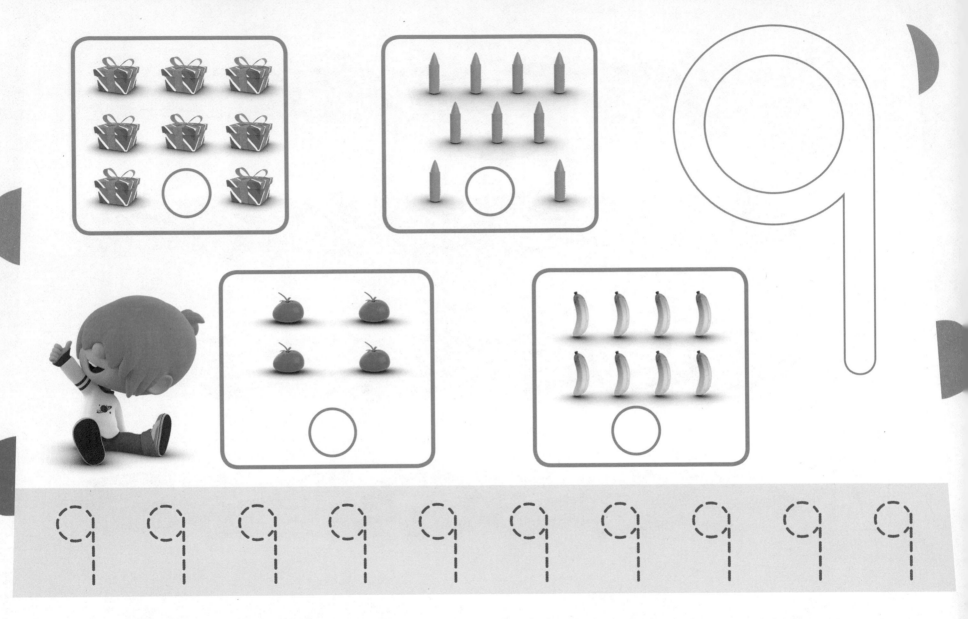

Pelusín quiere saber cuántos objetos hay en cada cuadro. Cuéntalos.
Colorea el círculo del grupo que tiene nueve elementos. Traza el 9.

¡A Cuquín le encantan los globos!
Agrupa los globos de diez en diez. Repasa el número 10.

Cleo quiere tocar un instrumento. Sigue las instrucciones coloreando las casillas para guiar a Cleo. ¿Cuál elegirá?

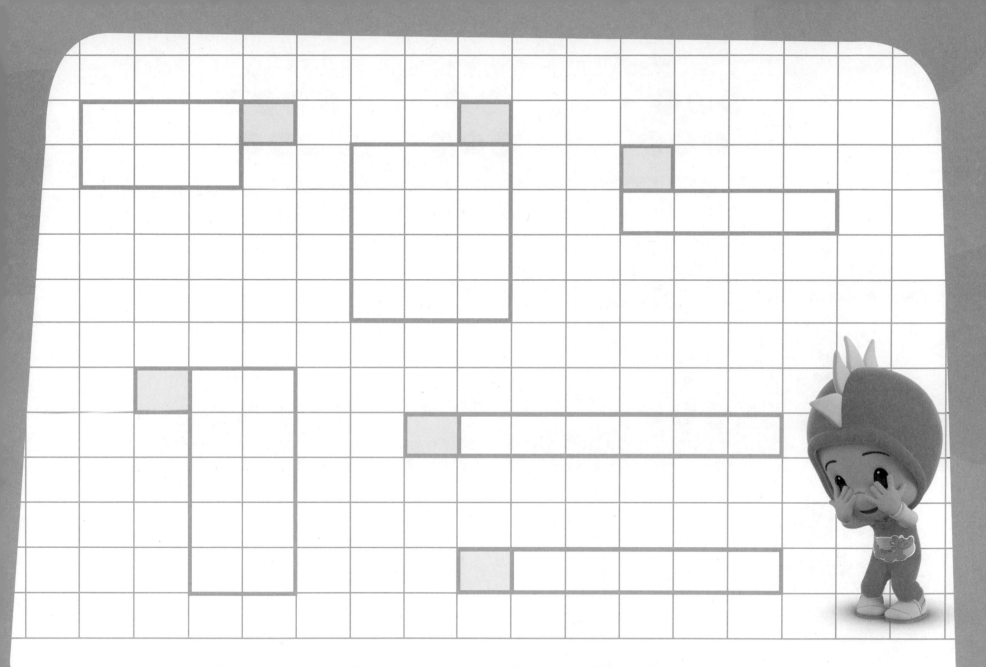

Colorea las casillas seleccionadas de diferentes colores.
Escribe el número de casillas en cada caso.

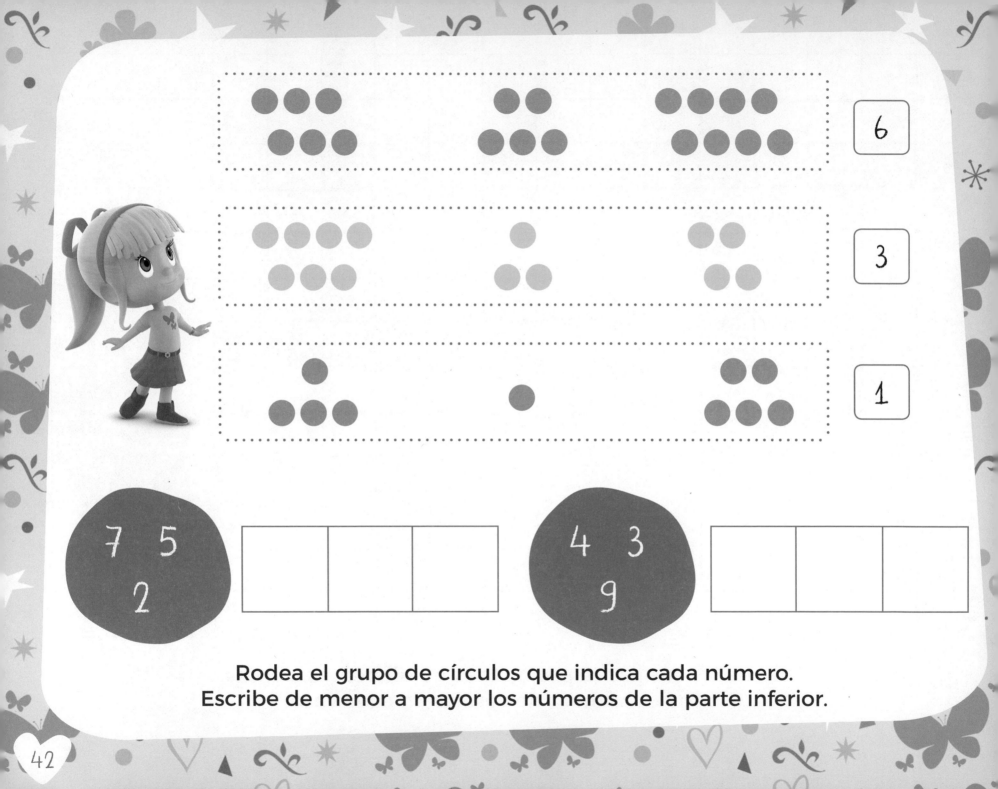

6

3

1

7 5 2

4 3 9

Rodea el grupo de círculos que indica cada número.
Escribe de menor a mayor los números de la parte inferior.

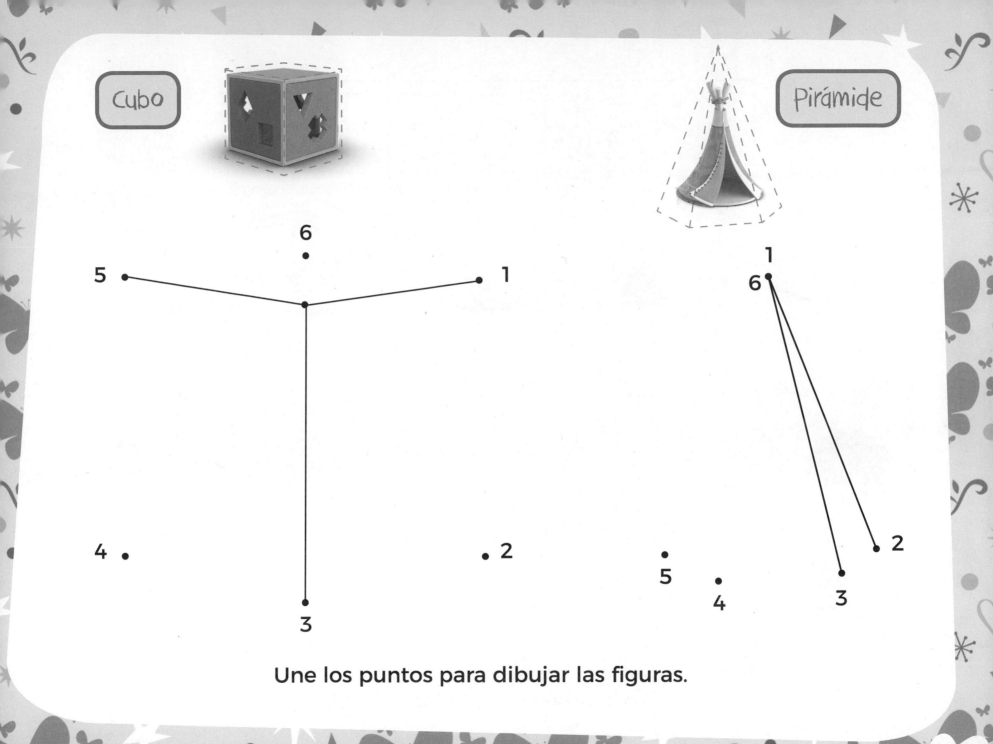

Cubo

Pirámide

Une los puntos para dibujar las figuras.

1° 2° 3° 4° 5° 6° 7° 8° 9°

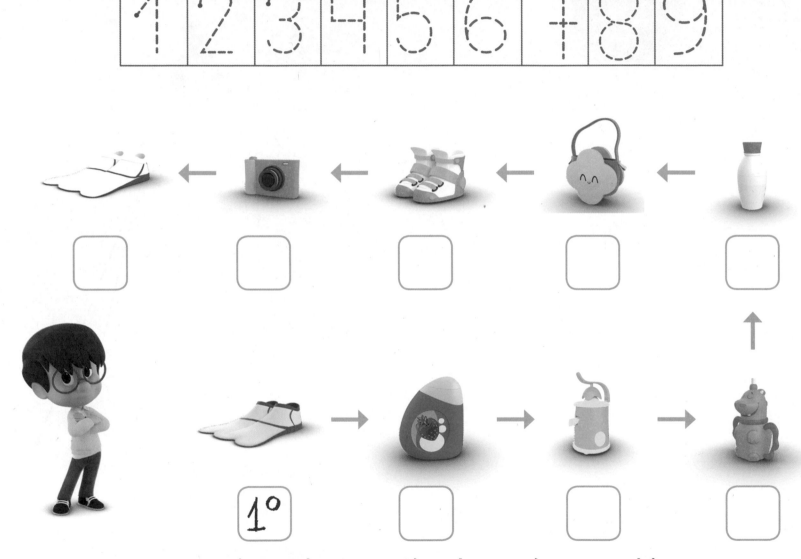

1°

Tete quiere saber en qué orden están estos objetos.
¿Lo ayudas? Repasa los ordinales.

44

Colitas, Pelusín y Cuquín quieren jugar con el coche, que está a la derecha.
Tete, Cleo y Maripí, con la batería, que está a la izquierda.
Únelos con una línea según corresponda.

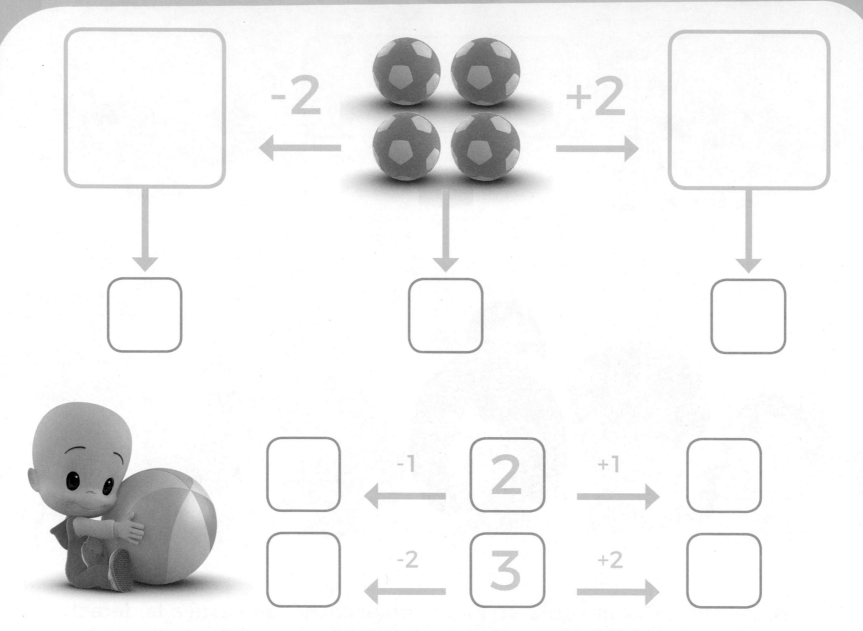

Dibuja la cantidad de pelotas que se indica y escribe cuántas hay en cada grupo. Resuelve las operaciones.

Colorea los círculos de forma que no se repitan los colores en cada fila y columna.

Ayuda a Colitas. Completa las casillas siguiendo los modelos.

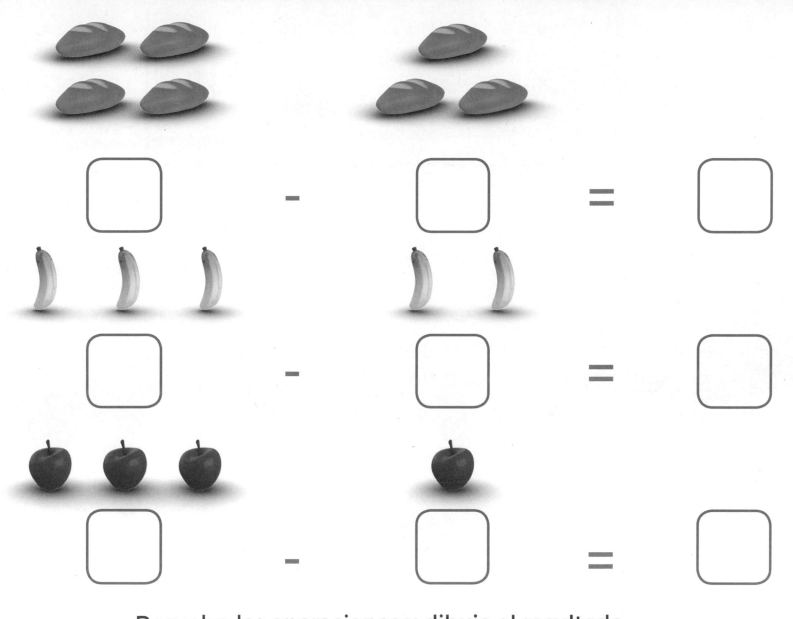

Resuelve las operaciones y dibuja el resultado.

Círculo / Cuadrado / Triángulo / Óvalo

¿Qué forma tiene? Ayuda a Pelusín a unir cada objeto con su forma correspondiente.

50

Ayuda a Maripí con este rompecabezas.
Une cada pieza al lugar que le corresponde para completar la imagen.

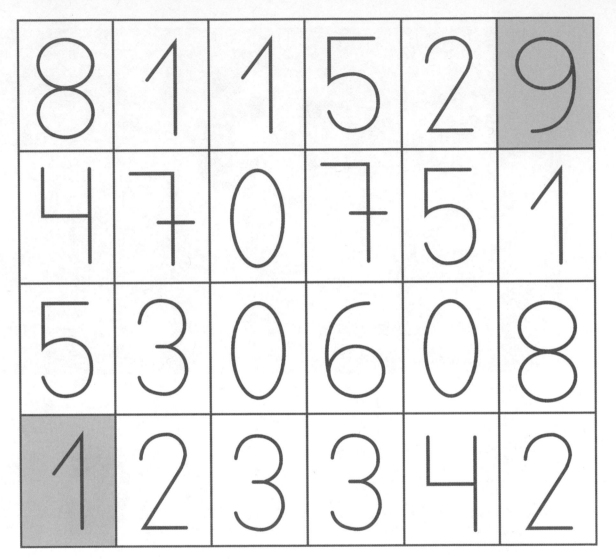

8	1	1	5	2	9
4	7	0	7	5	1
5	3	0	6	0	8
1	2	3	3	4	2

Guía a Cuquín hasta el número nueve a través de los números impares.

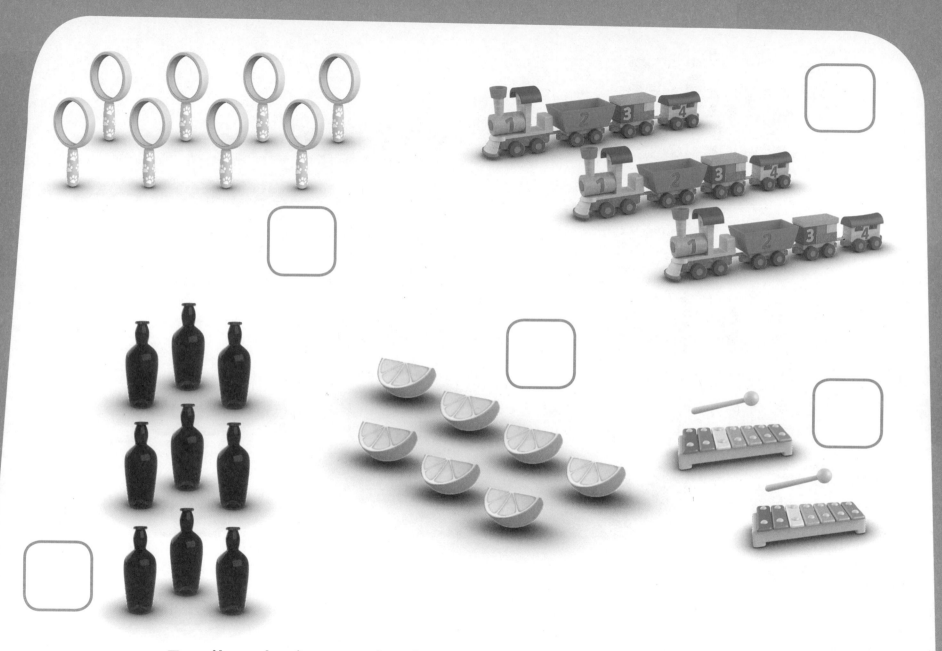

Escribe el número de elementos que tiene cada grupo.
Rodea los grupos impares.

Cuquín quiere saber cuántos juguetes tiene.

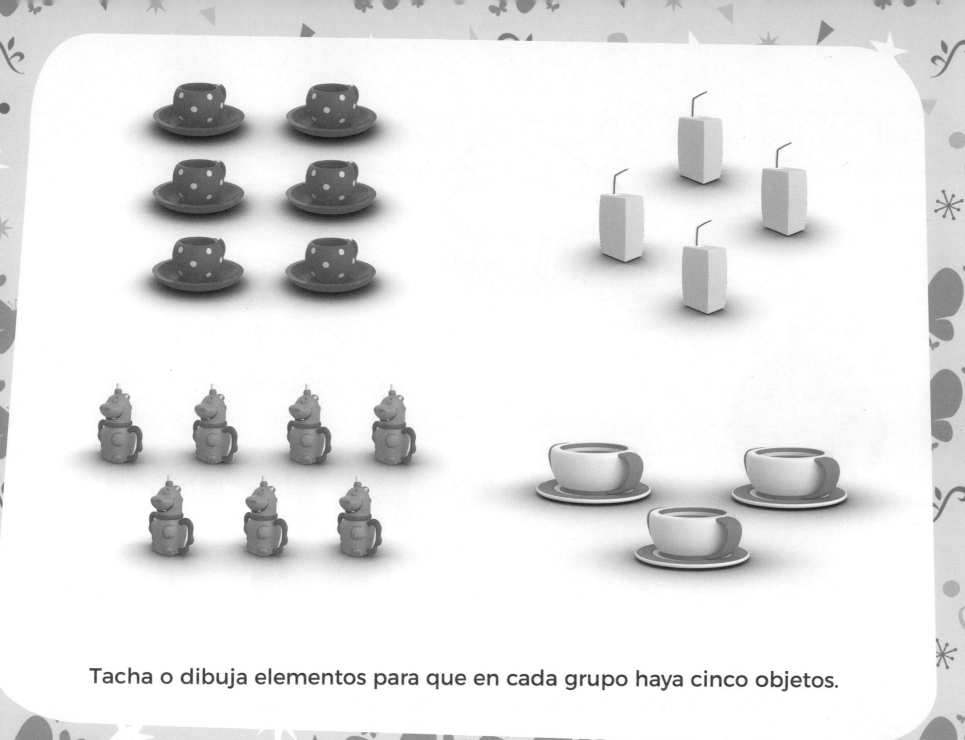

Tacha o dibuja elementos para que en cada grupo haya cinco objetos.

Cleo quiere formar un grupo de música con estos instrumentos
y quiere saber a cuántos de sus hermanos necesita para tocarlos.

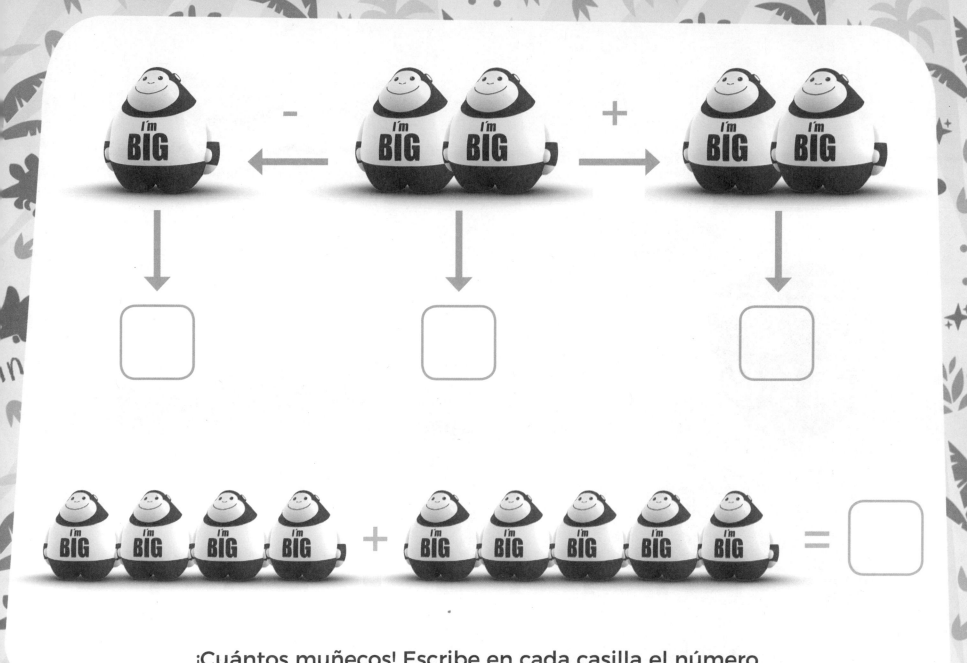

¡Cuántos muñecos! Escribe en cada casilla el número que corresponda según las operaciones.

Ayuda a Tete a ordenar sus historietas. Comienza desde el
grupo con menos cuadernos. Escribe el número según el orden que sigue.

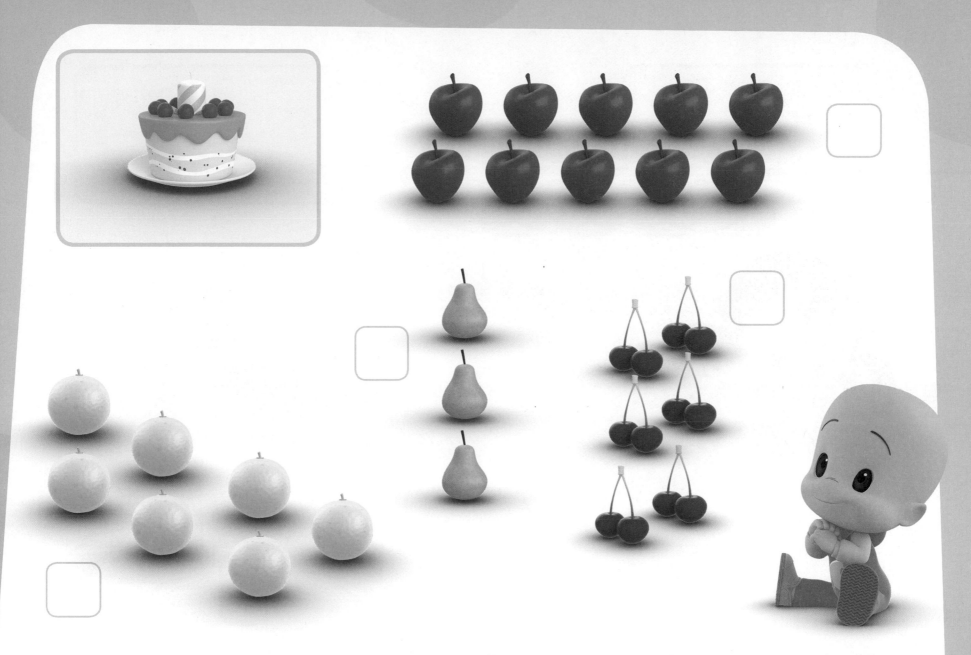

Une a Cuquín con su pastel de cumpleaños pasando por los grupos de frutas, del mayor al menor. Escribe el número de elementos que hay en cada grupo.

Ayuda a Colitas a repartir los objetos. Lleva a la derecha los que se pueden comer y a la izquierda los que no. Escribe cuántos hay en cada grupo.

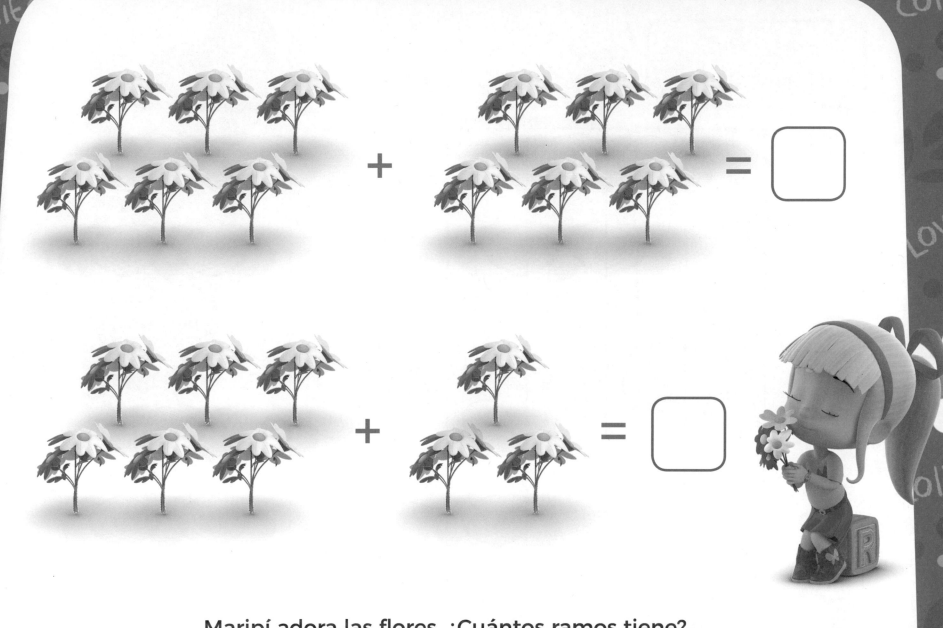

Maripí adora las flores. ¿Cuántos ramos tiene?
Escribe en cada casilla el resultado de la suma.

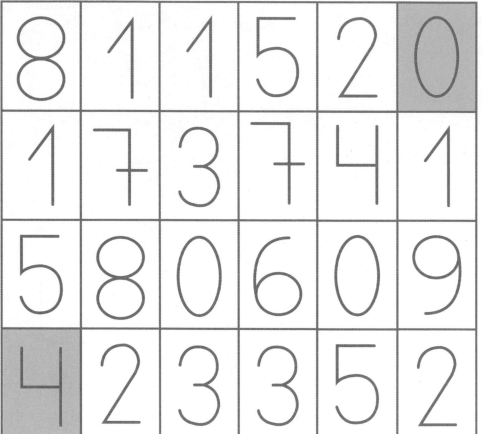

8	1	1	5	2	0
1	7	3	7	4	1
5	8	0	6	0	9
4	2	3	3	5	2

Pelusín no encuentra el camino a la casa del árbol.
Guíalo por el laberinto de números, eligiendo las casillas pares.

9-2= ☐

8-5= ☐

6-4= ☐

7-3= ☐

7-2= ☐

9-3= ☐

8-7= ☐

9-1= ☐

— — — —   — — —   — —

Resuelve las operaciones en orden y escribe
las letras en las líneas para descubrir el mensaje oculto.

¡Lo hiciste muy bien!

Escribe tu nombre. ¿Cuántas letras tiene?